곽재우
임진왜란 의병장 활동

정약용
실학 발전 목민심서 저술

안중근
이토 히로부미 저격

김구
임시 정부 주석

1897년
대한제국~

1910년
일제 강점기~

1945년
8·15 광복

1948년
대한민국 정부 수립

안용복
울릉도·독도 수호 활동

을사조약 항거 후 순국
민영환

봉오동·청산리 전투 승리
홍범도

글 송영심

성균관대학교에서 역사학을 전공하고, 이화여자대학교 대학원에서 역사 교육 박사 과정을 공부했어요. 어린이들과 소통하기 위해 인터넷 역사 카페(http://cafe.daum.net/edusonghistory)를 운영하고 있어요.

지은 책으로《한 권으로 읽는 한국사》,《재미있는 한국사 이야기 1》,《실록 밖으로 나온 세종의 비밀 일기》,《꺼지지 않는 등불, 안중근의 비밀 일기》,《달력에서 역사 찾기》,《정약용이 들려주는 실학 이야기》,《시조님, 시조님 안녕하세요?》,《청소년을 위한 주제로 보는 조선왕조실록》,《처음 시작하는 한국사, 세계사》,《알고 먹으면 더 맛있는 음식 속 조선 야사》,《한국사 숨은 그림 찾기 1,2,3》 등이 있어요. 역사 교과서 집필자로《중학교 역사1, 2》,《역사 부도》, 문화재청 교과서《꿈과 끼를 찾아 떠나는 문화유산 여행》 등을 여러 선생님과 함께 썼어요.

그림 황대윤

국민대학교에서 Meta일러스트레이션 석사 과정을 전공하였으며, 교육 분야의 출판물과 영상 매체에 일러스트레이션 작업을 하고 있어요.

그린 책으로는《한국사 숨은 그림 찾기 3》,《그림으로 보는 한국사 연표》,《그림으로 보는 세계사 연표》,《육각형 신문 읽기 1,2》가 있어요.

초판 1쇄 인쇄 2025년 11월 10일 **초판 1쇄 발행일** 2025년 11월 20일 **펴낸곳** 메가스터디㈜ **펴낸이** 손은진
개발 책임 김문주 **개발** 김숙영, 서은영, 민고은 **글** 송영심 **그림** 황대윤 **디자인** 박수진 **제작** 이성재, 장병미
주소 서울시 서초구 효령로 304(서초동) 국제전자센터 24층 **대표전화** 1661-5431 **홈페이지** http://www.megastudybooks.com **출판사 신고 번호** 제 2015-000159호
사진 제공 14쪽, 15쪽, 20쪽, 38쪽 ⓒ국가유산청, 26쪽, 27쪽, 33쪽, 39쪽, 44쪽 ⓒ국립중앙박물관, 26쪽 ⓒ클립아트코리아

· 본 저작물은 공공누리 제1유형 지시에 따라 공공 저작물을 이용하였습니다.
· 이 책의 저작권은 메가스터디 주식회사에 있으므로 무단으로 복사, 복제할 수 없습니다. 파본은 바꿔 드립니다.

 제품명 한국사 숨은 그림 찾기 4 우리 역사 인물
제조자명 메가스터디㈜ **제조년월** 판권에 별도 표기 **제조국명** 대한민국 **사용연령** 3세 이상
주소 및 전화번호 서울시 서초구 효령로 304(서초동) 국제전자센터 24층 / 1661-5431

메가스터디BOOKS

'메가스터디북스'는 메가스터디㈜의 출판 전문 브랜드입니다.
유아/초등 학습서, 중고등 수능/내신 참고서는 물론, 지식, 교양, 인문 분야에서 다양한 도서를 출간하고 있습니다.

한눈에 보는 한국사 명장면

한국사 숨은 그림 찾기

4 우리 역사 인물

메가스터디BOOKS

이 책을 즐기는 방법

1 숨은 그림 찾기!

역사 인물과 관련한 **역사적 사건**이나 **일화**를 그림으로 표현했어요. 설명을 먼저 읽고 그림을 살펴보아요. 역사 인물의 업적을 알고 역사적 의미를 이해할 수 있어요.

역사적 인물이나 **유적, 유물**이 숨어 있어요. 역사의 순간이 담긴 장면 속에서 숨어 있는 그림들을 찾아요!

숨은 그림을 찾으며 **역사 지식**을 익혀요.

2 한국사 지식 쌓기!

역사 인물에 대한 추가적인 설명이에요. 앞에서 읽은 내용보다 조금 더 깊고 **자세한 인물 정보**를 알 수 있어요.

역사 인물과 관련한 인물이나 사건, 유적에 관한 **재미있는 이야기**를 어린이의 눈높이에 맞춰 풀어냈어요.

한국사 퀴즈로 앞서 배운 내용을 확인하며 더욱 재미있게 한국사를 익힐 수 있어요.

Tip 자유롭게 이야기하며 상상력 키우기!

원하는 장면을 펼친 다음 어떤 일이 일어나고 있는지 친구나 부모님과 이야기를 나누어 보세요. 그림의 다양한 요소를 활용해 **상상력**을 발휘하여 새로운 이야기를 꾸며 볼 수 있어요. 그림 속 장면들로 여러 번 이야기를 짓다 보면 그림을 볼 때마다 새로운 광경이 눈에 들어올 거예요.

차례

| 백제 | 근초고왕, 백제를 가장 강한 나라로 발전시키다 ··· 4 |
| 고구려 | 을지문덕, 고구려 살수 대첩에서 수나라를 물리치다 ··· 6 |
| 생생역사 인물 이야기 1, 2 ··· 8 |

| 신라 | 김유신, 신라 장군으로 삼국 통일을 이룩하다 ··· 10 |
| 신라 | 원효, 백성들 속으로 들어가 불교를 널리 알리다 ··· 12 |
| 생생역사 인물 이야기 3, 4 ··· 14 |

| 고려 | 최영, 고려의 위기를 이겨 내다 ··· 16 |
| 고려 | 최무선, 고려 말 화약을 발명해 왜구를 몰아내다 ··· 18 |
| 생생역사 인물 이야기 5, 6 ··· 20 |

| 조선 | 이황, 조선을 빛낸 큰 학문을 발전시키다 ··· 22 |
| 조선 | 신사임당, 예술과 생활 속 가르침을 남기다 ··· 24 |
| 생생역사 인물 이야기 7, 8 ··· 26 |

| 조선 | 곽재우, 임진왜란에 첫 의병을 일으키다 ··· 28 |
| 조선 | 안용복, 울릉도와 독도를 지켜 내다 ··· 30 |
| 생생역사 인물 이야기 9, 10 ··· 32 |

| 조선 | 정약용, 조선의 백성을 위한 새로운 학문을 펼치다 ··· 34 |
| 대한 제국 | 민영환, 외교권을 빼앗는 을사조약에 끝까지 맞서다 ··· 36 |
| 생생역사 인물 이야기 11, 12 ··· 38 |

| 대한 제국 | 안중근, 나라를 빼앗은 원수를 향해 총탄을 날리다 ··· 40 |
| 일제 강점기 | 홍범도, 독립군의 빛나는 첫 승리를 이끌다 ··· 42 |
| 생생역사 인물 이야기 13, 14 ··· 44 |

| 일제 강점기 | 김구, 대한민국 임시 정부를 이끌며 나라의 꿈을 지키다 ··· 46 |
| 생생역사 인물 이야기 15 ··· 48 |

| 정답 ··· 49 |

근초고왕, 백제를 가장 강한 나라로 발전시키다

근초고왕은 4세기 중엽 백제의 전성기를 가져온 훌륭한 왕이에요. 강력한 군사력과 경제력을 바탕으로 고구려를 공격하여 평양성까지 쳐들어갔어요. 또한 바다를 건너 중국 동진과 교류하고 중국 요서 지방과 왜를 연결하는 해상 무역을 활발하게 펼쳤지요. 근초고왕은 강한 해군력과 뛰어난 항해술을 바탕으로 바다를 잘 이용해 백제를 더욱 강하게 만들었답니다.

을지문덕, 고구려 살수 대첩에서 수나라를 물리치다

을지문덕은 고구려를 지킨 훌륭한 장군이에요. 중국 수나라 황제 양제가 보낸 113만 명의 병사가 고구려를 침략했을 때 을지문덕이 이끄는 고구려군은 *살수에서 공격해 큰 승리를 거두었어요. 이 전투에서 살아 돌아간 수나라 병사는 고작 2,700여 명뿐이었지요. 을지문덕은 전투를 잘 이끌었을 뿐 아니라 글도 잘 써서, 수나라 장수 우중문에게 보낸 시가 유명해요.

*살수 : 지금의 평안북도 서남부를 흐르는 청천강의 옛 이름

생생 역사 인물 이야기 1
근초고왕, 백제를 가장 강한 나라로 발전시키다

백제의 전성기를 이끈 근초고왕

근초고왕은 삼국 시대 백제를 가장 강한 나라로 만든 제13대 왕이에요. 고구려가 침략하자 3만 군사를 이끌고 평양성까지 쳐들어가 고국원왕을 죽이고 고구려군을 물리쳤어요. 또한 남쪽으로는 마한을 정복해 충청도와 전라도까지 영토를 넓혔지요. 바다를 건너 중국의 동진이라는 큰 나라와 교류하고 나라의 힘이 강했음을 후대에 전하기 위해 박사 고흥에게 역사책인 『서기』를 쓰게 하는 등 문화도 발전시켰답니다.

바다를 누비며 세력을 넓힌 백제 근초고왕

백제는 삼국 가운데 바다를 가장 잘 이용했어요. 근초고왕 때에는 바다 건너 중국이나 일본까지 진출하여 활발한 교류를 했지요. 중국의 역사책인 『송서』와 『양서』에는 백제가 중국 랴오둥반도 서쪽의 요서와 진평 지역까지 점령해 백제군을 두었다는 기록도 있어요. 많은 역사학자가 백제는 근초고왕 때 바닷길을 통해 중국과 일본을 오가며 힘을 키우고, 해상 세력을 넓혔다고 생각해요.

한국사 Quiz
근초고왕에 대한 내용이 맞으면 ○표, 틀리면 ×표 하세요.

❶ 근초고왕 때 백제는 가장 강한 전성기였다. ( )

❷ 근초고왕은 고구려를 공격하였으나 평양성 전투에서 패배했다. ( )

❸ 근초고왕은 남쪽으로 진격하여 마한을 완전히 정복했다. ( )

일본의 국보, 칼날이 7개인 칠지도의 진실

일본 나라현 이소노카미 신궁에는 칼날이 7개인 특별한 칼, 칠지도가 보관되어 있어요. 칼 몸통에는 60자 넘는 글자가 새겨져 있는데, 태화 4년(백제 근초고왕 시기) 백제에서 왜왕에게 보낸 칼이라는 내용이지요. 이 칼은 무쇠를 100번 두드려 만들었고, 적을 물리치는 힘이 있다고도 쓰여 있어요. 일부 일본 학자들은 백제가 일본에 잘 보이려고 바친 것이라고 주장하지만, 우리나라 학자들은 그 당시 강대국이었던 백제에서 만들어 일본에 사이좋게 지내자는 표시로 준 것으로 본답니다.

생생 역사 인물 이야기 2
을지문덕, 고구려 살수 대첩에서 수나라를 물리치다

을지문덕이 펼친 청야 작전

을지문덕은 매우 용감하고 지혜로웠어요. 그는 수나라 군대의 식량이 계속 공급되지 않는다는 사실을 알고 '들판을 비워 아무것도 남기지 않는다.'는 청야 작전을 펼쳤어요. 고구려 군사들과 싸우다 지치고 굶주린 수나라 군사들이 먹을 것을 찾아도 아무것도 없도록 마을을 깨끗이 비우고 우물을 메웠던 것이지요. 이 작전으로 식량이 떨어진 수나라 군대는 힘이 약해졌다고 해요.

수나라 장수에게 시를 보내 놀린 을지문덕

수나라 장군 우중문과 우문술은 30만 별동대를 이끌고 자신만만하게 고구려로 쳐들어왔어요. 을지문덕은 수나라 장수 우중문에게 다음과 같은 한문으로 된 시를 보냈어요.

> 그대의 재주는 하늘을 찌를 듯이 높고,
> 오묘한 전술은 땅의 이치를 다했다.
> 전쟁에 이겨 공이 이미 높아졌으니
> 만족함을 알고 돌아가시구려.

이 시는 우중문을 칭찬하는 듯하지만, 사실은 '지금 돌아가지 않으면 큰일 날 거야!'라는 무서운 경고를 보낸 것이었지요. 이 시를 본 우중문은 크게 당황했다고 전하지요.

당나라의 침입을 막아 낸 연개소문과 양만춘

수나라가 멸망한 뒤, 중국에는 더 강한 당나라가 들어섰어요. 이때 정권을 장악한 고구려 장군 연개소문은 국경 지역에 천리장성을 쌓아 당나라 침입에 대비했어요. 또한 안시성 성주로 전해지는 양만춘 장군은 당나라 황제 태종이 군사를 이끌고 쳐들어오자 60일 넘게 용감하게 싸워 성을 지켜냈어요. 결국 당태종은 물러났고, 양만춘의 용기에 감동해 비단 100필을 선물했다고 해요. 이처럼 고구려는 연개소문과 양만춘 같은 용감한 장군들 덕분에 당나라의 침입을 막아 낼 수 있었답니다.

한국사 Quiz

을지문덕 장군에 대해 맞는 내용에 ○ 하세요.

1. 을지문덕 장군은 (수나라, 고구려) 장군이다.
2. 살수는 지금의 (대동강, 청천강)이다.
3. 청야 작전이란 (채우기, 비우기) 작전이다.
4. 살수 대첩의 영향으로 멸망한 나라는 (수나라, 고구려)이다.

정답 ① 고구려 ② 청천강 ③ 비우기 ④ 수나라

찾아보세요

 **백제군을 공격하는 김유신**
백제와의 싸움에서 김유신이 말 위에서 백제군을 공격하고 있어요.

 **화랑 깃발을 든 낭도**
훈련을 받는 낭도가 말을 탄 채 화랑 깃발을 높이 들고 가요.

 **칼을 휘두르는 계백**
백제 장군 계백이 늠름한 말을 타고 칼을 휘둘러요.

 **칼을 높이 든 낭도**
한 낭도가 칼을 높이 들고 열심히 훈련하고 있어요.

 **금관을 쓴 태종 무열왕**
태종 무열왕이 장군들의 삼국 통일 작전 계획을 듣고 있어요.

김유신, 신라 장군으로 삼국 통일을 이룩하다

김유신은 신라의 아주 훌륭한 장군으로, 어릴 때부터 화랑으로 활동하며 몸과 마음을 갈고 닦았어요. 선덕 여왕 때에는 큰 *반란을 진압하고 백제의 침입을 막으며 신라를 지켰어요. 태종 무열왕을 도와 삼국 통일을 추진하여 당나라군과 함께 백제를 멸망시켰어요. 삼국 통일에 큰 공을 세워 죽은 뒤에도 흥무 대왕으로 높이 받들어졌어요.

*반란 : 나라나 지도자 등에 반대해 일으키는 난

백제군을 발로 차는 신라군
칼을 든 신라군이 백제 병사를 발로 공격하고 있어요.

웃옷이 벗겨진 백제 병사
갑옷을 제대로 갖춰 입지 못한 백제군은 싸움을 하다가 옷이 벗겨지기도 했어요.

말 목에 두른 장식
신분이 높은 화랑이 탄 말의 목에는 멋진 장식이 있어요.

지도를 가리키는 장군의 지휘봉
장군이 지휘봉으로 군사적으로 중요한 곳을 가리키며 작전을 세우고 있어요.

화살을 맞은 백제군
화살을 맞은 백제군이 땅에 쓰러져 있어요.

원효, 백성들 속으로 들어가 불교를 널리 알리다

원효는 신라의 훌륭한 승려예요. 그는 의상 대사와 함께 중국 당나라로 불교를 공부하러 가던 길에 무덤가에서 큰 깨달음을 얻었어요. 그 뒤로는 백성들 가까이에서 춤을 추고 노래를 부르며 쉬운 말로 불교를 전했지요. 원효는 많은 불경을 지었으며, 서로 다른 불교 사상을 하나로 모으고 마음을 다스리는 가르침으로 신라 불교를 크게 발전시켰어요.

찾아보세요

아이를 업은 엄마
아이를 들쳐 업은 엄마가 저잣거리에서 원효가 부르는 노래를 듣고 있어요.

의상 대사 목에 걸린 염주
의상 대사의 목에는 긴 염주가 걸려 있어요.

바가지를 두들기는 거지
거지들이 원효의 노래에 맞추어 신나게 바가지를 두드리고 있어요.

괴나리봇짐에 매단 짚신
볏짚을 삼아 만든 짚신은 빨리 닳아서 먼 길을 갈 때에는 여러 켤레를 챙겼어요.

노래 부르는 원효
원효가 사람들 앞에서 무애가라는 노래를 부르며 춤을 추고 있어요.

바닥에 앉아 구경하는 남자아이
남자아이가 바닥에 앉아 원효의 노래를 듣고 있어요.

원효의 목탁
원효는 목탁과 염주를 꼭 갖고 다녔어요.

부러져 있는 갈비뼈
무덤가에 죽은 지 오래된 해골의 갈비뼈가 부러져 있어요.

손가락질하는 아이
아이가 노래를 부르며 춤을 추는 원효를 손가락으로 가리키고 있어요.

지네가 담긴 해골 물
무덤가 빗물이 고인 해골에는 지네까지 떠 있어요.

생생 역사 인물 이야기 3
김유신, 신라 장군으로 삼국 통일을 이룩하다

가야 왕족 출신 김유신

김유신의 *증조할아버지인 *구형왕은 지금의 경상남도 김해 지역에 있었던 금관가야의 마지막 왕이었어요. 힘이 약해진 금관가야가 신라에 속하게 되면서 김유신도 신라 사람이 되었지요. 김유신은 15세에 화랑이 되어 몸과 마음을 키웠어요. 가야 왕족 출신으로 뛰어난 능력을 가졌지만, 김유신은 신라의 엄격한 신분 제도 때문에 왕이 될 수는 없었어요.

*증조할아버지 : 아버지의 할아버지 또는 할아버지의 아버지를 이르는 말   *구형왕 : 구해왕이라고도 함

신라 왕실과 인연을 맺은 김유신의 지혜로운 선택

김유신은 왕족인 김춘추와 공놀이 축국을 하다가 일부러 김춘추의 옷끈을 밟아 끊은 뒤 다시 꿰매 주겠다며 집으로 데려왔어요. 한편, 김유신의 큰누이 보희는 높은 산에서 오줌을 누자 경주가 물에 잠기는 꿈을 꾸었어요. 동생 문희는 좋은 꿈이라 여겨 비단 치마를 주고 그 꿈을 샀지요. 마침 문희가 김춘추의 옷을 직접 손질하게 되었고, 나중에 두 사람은 혼인했어요. 그 뒤 김춘추가 태종 무열왕으로 왕위에 오르면서 문희는 왕후가 되었고, 김유신은 왕의 처남이 되었답니다.

〈경주 김유신 묘〉

신라 화랑 관창의 희생과 백제 마지막 전투, 황산벌 전투

660년, 신라와 당나라 연합군이 백제를 공격하자 백제의 충신 계백은 신라의 *볼모가 될까 봐 가족을 죽이고 황산벌 전투에 나섰어요. 계백이 이끄는 5천 결사대는 5만 신라군에 맞서 조금도 밀리지 않았어요. 이때 15세 신라 화랑 관창이 계백을 쓰러뜨리겠다며 홀로 말을 타고 백제 진영으로 뛰어들었어요. 계백은 어린 소년을 그냥 돌려보냈지만, 다시 쳐들어왔을 때는 목을 친 뒤 그 목을 신라 진영으로 보냈어요. 이를 본 신라 군사들은 어린 관창의 죽음에 분노해 백제군을 강하게 밀어붙였고, 계백의 결사대가 무너지면서 백제는 멸망당했어요.

*볼모: 담보로 상대편에 잡혀 두는 사람이나 물건

한국사 Quiz

글자 퍼즐을 맞혀 보세요.

❶ 신라 시대의 젊은 무사들로, 몸과 마음을 단련한 사람들
❷ 삼국 통일을 이루기 위해 김유신과 손잡은 태종 무열왕의 이름

관	계	군	백
김	라	화	랑
춘	신	사	제
추	보	희	창

생생 역사 인물 이야기 4
원효, 백성들 속으로 들어가 불교를 널리 알리다

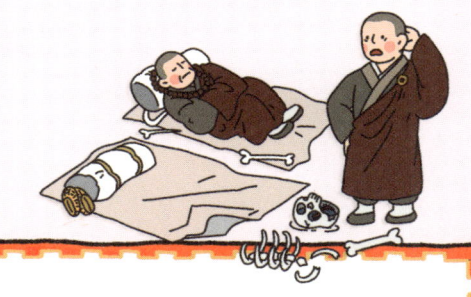

무덤가에서 큰 깨달음을 얻다

원효는 의상 대사와 함께 당나라로 유학을 떠난 길에 큰 비를 만나 어느 토굴에서 자게 되었어요. 아침에 깨어 보니 무너진 무덤 속임을 알고 크게 놀랐지요. 이때 해골에 담긴 물을 마셨다고 하는데, 이는 나중에 생긴 이야기라고 하기도 해요. 무덤 속에서 원효는 '모든 것은 마음에서 온다.'라는 깊은 깨달음을 얻은 뒤 당나라 유학을 포기하고 신라로 돌아와 불교 연구에 힘썼답니다.

무애가와 나무아미타불

원효는 어릴 때 황룡사에서 불교를 공부했어요. 무덤가에서 얻은 깨달음은 원효의 불교 사상과 가르침의 중요한 바탕이 되었지요. 당나라 유학을 포기하고 신라로 돌아온 뒤에는 분황사에서 공부하며 불교를 연구했어요. 그 뒤 불경을 쉽게 배울 수 있는 '무애가'라는 노래를 만들어 거리를 돌아다니며 백성들에게 불러 주었어요. 춤을 추며 노래를 부르는 원효를 따라 많은 백성이 무애가를 불렀다고 해요. 또한 원효는 일반 백성도 '나무아미타불'을 열심히 외우면 죽어서 극락세계에 갈 수 있다고 가르쳤답니다.

〈원효 대사가 머물렀던 분황사 터〉

설총과 소성 거사

신라 3대 *문장가 중 한 사람인 설총은 아버지가 원효이고, 태종 무열왕이 외할아버지예요. 원효가 "누가 자루 없는 도끼를 내게 주겠나, 내가 하늘을 받칠 기둥을 찍어 보련다."라는 노래를 부르며 거리를 돌아다니자 태종 무열왕이 원효가 큰 인물을 낳을 것이라고 보고 둘째 딸인 요석 공주와 짝지어 주었다고 해요. 그렇게 해서 설총이 태어났고, 원효는 승려의 삶을 버리고 스스로 '소성 거사'로 부르며 일반 백성처럼 살았답니다.

*문장가: 글을 뛰어나게 잘 짓는 사람

한국사 Quiz

원효에 대한 내용을 읽고 빈칸에 들어갈 말을 차례대로 쓰세요.

원효는 신라의 훌륭한 승려로, '모든 것은 (　　　)에서 온다'라는 깨달음을 얻고 (　　　) 유학을 포기했어요. 그는 백성들에게 쉬운 말과 노래인 '무애가'로 불교를 전하며 많은 사람의 마음을 열었어요. 나중에는 승려의 삶을 버리고 스스로 소성 거사라 부르며 백성과 함께 살아갔어요.

최영, 고려의 위기를 이겨 내다

최영은 고려를 지킨 용감한 장군이었어요. 고려 말 중국에서 머리에 붉은 수건을 두른 무서운 홍건적이 쳐들어왔을 때, 최영은 군사를 이끌고 나가 이들을 물리쳤지요. 또 잃어버린 우리 땅인 *요동을 되찾기 위해 많은 군대를 보내기도 했답니다. 최영은 홍건적뿐만 아니라 고려를 자주 쳐들어오던 왜구도 직접 군대를 이끌고 가서 막아 냈어요. 군대를 준비하고 지휘하는 모습에서 최영의 지혜와 용기를 느낄 수 있어요. 최영은 늘 나라와 백성을 생각했다고 해요.

*요동 : 중국 랴오둥 지방

찾아보세요

 **최영 장군**
요동에 병사를 보내면서 최영이 수염을 휘날리며 병사들을 격려해요.

 **고려 병사를 찌르는 홍건적**
붉은 수건을 쓴 홍건적이 고려 병사를 공격하고 있어요.

 임금이 내린 도끼
임금이 장군에게 준 도끼는 전쟁의 승리를 상징하지요. 최영은 우왕에게서 도끼를 받았어요.

 **붉은 망토를 두른 홍건적 장수**
홍건적 장수가 붉은 망토를 휘날리며 말을 달리고 있어요.

 **사다리를 놓는 고려 병사**
고려 병사가 성벽에 사다리를 놓고 있어요.

 **우왕**
최영에게 도끼를 내린 우왕은 최영의 사위예요.

 **이성계**
요동으로 떠나기 전 이성계 장군이 말에 탄 채 군사들 앞에 서 있어요.

 **성벽 위의 홍건적 병사**
홍건적 병사가 성벽 위에서 고려 병사를 향해 활을 쏘고 있어요.

 **창을 높이 든 장수**
싸움에 자신 있는 고려 장수가 말을 타고 긴 창을 높이 들어 보여요.

 **홍건적을 베는 고려 병사**
용감한 고려 병사가 사다리에 올라가 홍건적을 베고 있어요.

최무선, 고려 말 화약을 발명해 왜구를 몰아내다

최무선은 고려 말의 과학자이자 장수예요. 중국에서 화약 만드는 방법을 배워 우리나라에서 처음으로 화약과 화포를 만들었어요. 우왕 때인 1380년에 왜구가 탄 배 500여 척이 전라도 진포 지역으로 쳐들어오자 처음으로 화약과 화포를 이용해 큰 승리를 거두었답니다. 당시 고려는 오랫동안 왜구의 침략에 시달렸는데, 최무선이 만든 무기가 왜구를 물리치는 데 큰 도움이 되었지요.

찾아보세요

 **진포 대첩에서 명령하는 최무선**
최무선이 팔을 번쩍 들고 왜구를 향해 화포를 쏘라고 명령하고 있어요.

 **염초 제조 기술을 알려 주는 이원**
원나라 상인 이원이 염초 만드는 기술을 알려 주고 있어요.

 **돛에 불길이 붙은 왜선**
역사상 처음으로 화포를 이용한 진포 대첩에서 한 왜선의 돛에 세 군데나 불이 붙어 활활 타고 있어요.

 절구 방망이
화약의 원료가 되는 염초를 절구에 넣어 찧을 때 사용해요.

 **재료를 써는 사람**
한 사람이 약초 써는 기구로 열심히 재료를 썰고 있어요.

 **배에 매달린 왜구**
왜구가 배 난간을 잡고 바다에 빠지지 않으려고 안간힘을 쓰고 있어요.

 **화포에 불을 붙이는 고려 병사**
고려 병사가 불을 붙인 솜망치를 대어 화포를 쏘려고 해요.

 재료를 곱게 치는 체
체에 염초 재료를 담아 고운 가루를 내고 있어요.

 **깃발을 꽉 잡은 고려 병사**
군대의 사기를 높이는 붉은 용이 그려진 깃발을 쓰러지지 않게 꽉 잡고 있어요.

 **왜선을 물리친 화포**
왜구가 탄 배에 화포를 쏘아 왜선을 가라앉혀요.

생생 역사 인물 이야기 5
최영, 고려의 위기를 이겨 내다

고려를 지키기 위해 홍건적과 왜구를 물리친 최영

최영은 홍건적과 왜구를 물리쳐 고려를 지켰어요. 홍건적이 두 차례나 쳐들어왔을 때 용감히 싸워 고려의 수도 개경을 되찾았답니다. 우왕 때 명나라가 철령을 다스리려 하자, 최영은 조민수와 이성계에게 군사를 이끌고 북으로 가게 했지요. 하지만 이성계는 압록강 위화도에서 군사를 돌려 개경으로 돌아와 정권을 잡았고, 그 결과 최영은 처형당했답니다. 그러나 최영은 고려의 큰 영웅으로 기억되지요.

풀이 나지 않은 최영의 무덤

최영은 죽임을 당할 때 마지막으로 이렇게 말했다고 해요.
"나는 아버지 말씀대로 황금 보기를 돌같이 하며 정직하게 살았다. 만약 내가 남의 것을 탐냈다면 내 무덤에 풀이 날 것이고, 그렇지 않았다면 풀이 나지 않을 것이다."
그런데 정말로 최영의 무덤에는 풀이 나지 않았다고 해요. 지금은 경기도 고양에 무덤이 있는데, 풀이 덮여 있는 것은 후손들이 장군을 기리며 마음을 담아 잔디를 심었기 때문이지요.

〈최영의 묘〉

4가지 이유를 들어 요동 공격을 반대한 이성계

고려를 무너뜨리고 조선을 세운 이성계는 최영과 함께 홍건적과 왜구를 물리친 유명한 장군이었어요. 최영이 명나라와 싸우자는 결정을 내리자 이성계는 4가지 이유로 반대했어요. 첫째, 고려는 작은 나라라 큰 나라와 싸우면 안 되고, 둘째, 여름엔 농사가 바빠 군사를 일으키면 백성이 힘들며, 셋째, 왜구가 쳐들어오면 나라를 지킬 수 없고, 넷째, 장마철엔 전염병이 돌고 무기도 망가진다고 했어요. 그래도 최영이 나가 싸우라고 하자 이성계는 압록강의 위화도까지 갔다가 군사를 돌려 개경으로 돌아왔어요. 이 사건을 '위화도 회군'이라고 하는데, 이 일로 이성계가 권력을 잡게 되었지요.

〈최영 초상화〉

한국사 Quiz

최영과 관련한 내용 중, 관계 있는 것끼리 연결해 보세요.

❶ 이성계 • • Ⓐ 고려 말 최영과 함께 홍건적과 왜구를 물리친 장군으로 나중에 고려를 무너뜨리고 조선을 세웠다.

❷ 위화도 회군 • • Ⓑ 붉은 수건을 머리에 두른 중국의 반란군으로, 두 차례나 고려에 침입해 백성들을 괴롭혔다.

❸ 홍건적 • • Ⓒ 요동을 공격하려고 군사를 이끌고 출발한 이성계가 압록강 위화도에서 군사를 돌려 돌아온 사건이다.

정답: 1-Ⓐ, 2-Ⓒ, 3-Ⓑ

최무선, 고려 말 화약을 발명해 왜구를 몰아내다

슬기롭게 화약을 만들다

최무선은 손재주가 뛰어나고, 전쟁을 이기는 방법에 관심이 많았어요. 그는 직접 화약을 만들려고 여러 번 실험했지만 실패했지요. 화약을 만들려면 유황, 숯 그리고 '염초'라는 특별한 재료가 필요한데, 이 염초 만드는 방법을 알기 힘들었거든요. 최무선은 염초 제조법을 알고 있는 원나라 사람 이원에게 음식과 옷을 선물하며 정성껏 대접해 염초 제조법을 알아냈답니다.

왜구란 누구인가?

왜구의 '왜'는 일본을, '구'는 떼로 몰려다니는 나쁜 도둑들을 뜻하는 말이에요. 당시 우리나라 해안에는 왜구가 자주 쳐들어와 마을을 불태우고 사람들을 괴롭혔어요. 우왕 때는 왜구가 무려 378번이나 쳐들어와서 큰 피해를 주었지요. 하지만 최무선이 화약을 발명하고 불을 쏘는 무기를 만들어 왜구를 물리쳤어요. 그래서 사람들은 최무선을 큰 영웅으로 존경했답니다.

화약과 신무기를 개발하여 왜구를 크게 무찌른 최무선

최무선은 나라에 화통도감을 만들어 달라고 한 뒤 이곳에서 화포와 대장군포, 화통 같은 여러 화약 무기를 만들었어요. 최무선은 진포 대첩에 화포를 사용해 크게 승리했고, 왜구에 잡힌 고려 인질 330명도 구했지요. 그 뒤 1383년 관음포 전투와 1389년 대마도 정벌 때에도 큰 활약을 펼쳤답니다. 최무선 덕분에 고려는 왜구의 침입이라는 위기를 넘길 수 있었어요.

최무선과 관련한 내용 중 맞는 내용에 ○해 보세요.

❶ 최무선은 (화약, 조총)을 발명하고 (화통도감, 성균관) 설치를 건의했다.
❷ 최무선은 (홍산, 진포) 전투에서 왜구를 크게 무찔렀다.
❸ 최무선에게 염초 기술을 알려 준 사람은 (송, 원)나라 사람이다.
❹ 최무선이 왜선 500여 척을 무찔렀을 때 고려의 왕은 (우왕, 창왕)이다.

정답 ❶ 화약, 화통도감 ❷ 진포 ❸ 원 ❹ 우왕

이황, 조선을 빛낸 큰 학문을 발전시키다

퇴계 이황은 조선 시대에 백성들에게 바른 삶을 가르친 훌륭한 학자예요. 홍문관의 높은 관리가 되어 왕에게 어려운 학문을 가르치기도 했어요. 이황이 쓴 책은 임금님과 신하들이 함께 공부하며 나라를 다스리는 데 도움을 주었지요. 이황은 벼슬을 그만둔 뒤에는 조용한 곳에 도산 서당을 짓고 어린 학생들에게 학문을 가르쳤어요. 또 마을 사람들이 예절을 지키며 서로 돕고 살도록 예안 향약이라는 마을 약속도 만들었답니다.

신사임당, 예술과 생활 속 가르침을 남기다

신사임당은 조선 시대의 유명한 예술가로, 풀과 곤충을 자연스럽게 그린 '초충도'로 잘 알려져 있어요. 자녀들도 엄마가 그림 그리는 모습을 신기해 했지요. 어느 날은 빌린 치마를 망쳐서 어려움을 겪게 된 여인의 치마에 아름다운 그림을 그려 줘 여인을 웃게 만들었고, 이를 본 사람들이 모두 감탄하기도 했어요. 신사임당의 예술 재능을 이어받은 큰딸과 막내아들도 시를 짓고 그림을 잘 그렸다고 해요.

생생 역사 인물 이야기 7
이황, 조선을 빛낸 큰 학문을 발전시키다

조선을 대표하는 큰 학자, 퇴계 이황

퇴계 이황은 율곡 이이와 함께 조선을 대표하는 대학자예요. 명종 때에는 나라에서 서원을 지원하자고 처음 건의했어요. 높은 벼슬을 여러 번 사양하고, 도산 서당을 세워 제자들을 가르치며 학문 연구에 힘썼지요. 또한 당시 임금인 선조에게는 바른 정치를 바라는 『성학십도』를 올렸어요. 이황의 학문을 이어받은 영남학파 제자 중에는 유성룡을 비롯한 이름난 정치가도 많답니다.

임금이 사랑한 학자

이황은 풍기 군수로 있을 때, 교육이 아주 중요하다는 것을 깨달았어요. 그래서 주세붕이 세운 백운동 서원을 나라에서 지원해 달라고 강하게 추천했답니다. 이에 당시 임금인 명종이 '소수 서원'이라는 새 현판을 내리고, 많은 책과 자료를 서원에 보냈지요. 명종은 이황이 벼슬을 사양하고 자꾸 고향으로 돌아가자 직접 시를 짓고 이황이 살던 도산의 아름다운 풍경을 그린 병풍까지 만들어서 이황을 그리워했답니다.

〈도산 서원〉

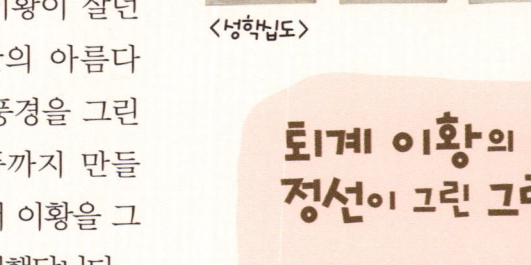
〈성학십도〉

퇴계 이황의 마지막과 정선이 그린 그림

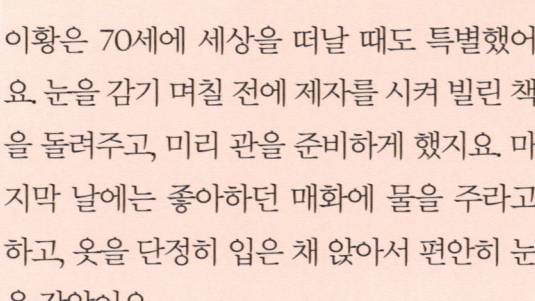

이황은 70세에 세상을 떠날 때도 특별했어요. 눈을 감기 며칠 전에 제자를 시켜 빌린 책을 돌려주고, 미리 관을 준비하게 했지요. 마지막 날에는 좋아하던 매화에 물을 주라고 하고, 옷을 단정히 입은 채 앉아서 편안히 눈을 감았어요.

우리나라 천 원 지폐 앞면에는 이황의 모습과 그가 좋아하던 매화가 그려져 있지요. 지폐 뒷면에 있는 그림은 조선 유명 화가인 정선이 그린 것으로, 벼슬에서 물러난 이황이 시냇물이 보이는 서당에 머물며 책을 읽던 모습이에요.

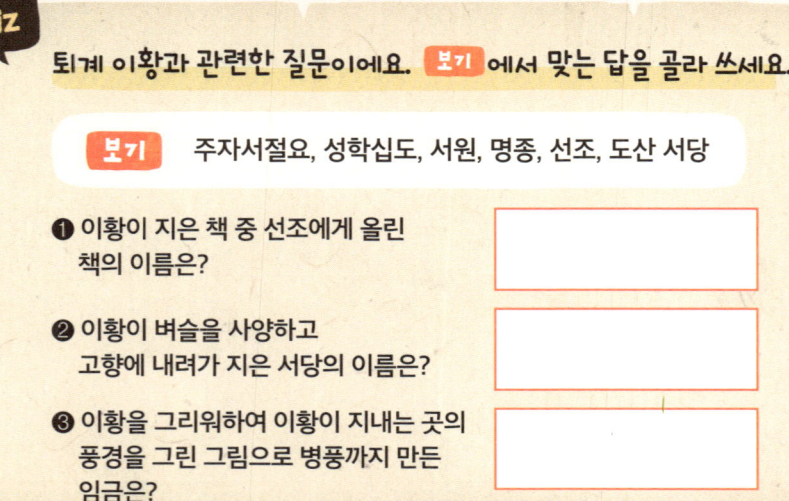

한국사 Quiz

퇴계 이황과 관련한 질문이에요. 보기 에서 맞는 답을 골라 쓰세요.

보기 주자서절요, 성학십도, 서원, 명종, 선조, 도산 서당

❶ 이황이 지은 책 중 선조에게 올린 책의 이름은?

❷ 이황이 벼슬을 사양하고 고향에 내려가 지은 서당의 이름은?

❸ 이황을 그리워하여 이황이 지내는 곳의 풍경을 그린 그림으로 병풍까지 만든 임금은?

생생 역사 인물 이야기 8
신사임당, 예술과 생활 속 가르침을 남기다

조선의 어진 예술가, 신사임당

신사임당은 뛰어난 화가이자 학자 율곡 이이의 어머니예요. 어릴 때부터 총명하고 그림과 글짓기를 잘했지요. 정치가 혼란하던 시절, 아버지는 벼슬을 버리고 딸을 가르쳤고, 신사임당은 혼인 후에도 강릉에서 어머니를 모시며 자연을 그린 아름다운 그림과 따뜻한 시를 남겼어요. 4남 3녀를 훌륭하게 키웠고, 효성과 지혜, 예술적 재능으로 조선에서 큰 존경을 받았지요.

효심으로 빛난 삶

신사임당은 강릉의 친정을 떠나 경기도 파주의 시가로 가는 길에, 혼자 남은 어머니를 생각하며 시를 지었어요. 이 시는 교과서에도 실렸지요.

늙으신 어머님을 고향에 두고
외로이 서울로 가는 이 마음
이따금 머리 들어 북촌을 바라보니
흰 구름 떠 있는 곳에 저녁 산만 푸르네.

이 시에는 멀어진 고향과 어머니에 대한 그리움, 그리고 외로운 마음이 담겨 있어요. 특히 마지막 구절은 어머니가 계신 고향을 바라보는 안타까운 마음을 잘 보여줘요.

〈신사임당이 그린 초충도〉

역사에 길이 남은 어머니와 아들

조선 시대에는 동인과 서인이 권력을 놓고 오랫동안 싸웠어요. 서인이 가장 존경한 인물이 바로 성리학을 깊이 연구한 율곡 이이예요. 이이는 일본의 침략을 미리 걱정하며 10만 군사를 키우자고 제안했을 만큼 앞을 내다본 학자였어요. 그의 어머니는 뛰어난 예술가이자 훌륭한 어머니인 신사임당이에요. 오늘날 우리는 율곡 이이를 5천 원권, 신사임당을 5만 원권 지폐에서 만나며 두 사람의 업적을 새기고 있답니다.

한국사 Quiz

글자의 첫소리와 힌트를 보고 누구인지 써 보세요.

| ㅇ | ㄱ | ㅇ | ㅇ |

힌트 • 조선 시대의 뛰어난 학자로, 일본의 침략을 대비해 10만 군사를 키우자고 제안한 선견지명을 가진 인물

답 ☐

주먹을 쥔 선비
곽재우의 주장에
주먹을 불끈 쥐고
찬성을 표시하고 있어요.

왜군 지휘관
왜군 지휘관이 의병 공격으로
겁먹은 병사들에게 조총을
쏘라고 명령해요.

도망가는 왜병
한 왜병이 의병의 공격을 피해
도망가고 있어요.

의병 깃발
'천강홍의장군'은 하늘에서 내려온
홍의 장군을 뜻해요. 곽재우가 이끈 의병 부대는
꼭 이 깃발을 갖고 다녔어요.

쓰러진 왜병
조총을 가진 왜병도
의병이 쏜 화살은
피할 수가 없어요.

안용복, 울릉도와 독도를 지켜 내다

안용복은 조선 시대 인물로, 두 차례나 일본에 가서 울릉도와 독도가 조선 땅임을 분명히 했어요. 처음에는 울릉도에 온 일본 어부들을 꾸짖다가 일본에 끌려갔지만, 침착하게 우리 땅임을 인정하는 문서를 받아 냈지요. 그러나 *대마도 사람들이 문서를 고치자, 안용복은 다시 일본으로 건너가 울릉도와 독도가 조선 땅임을 제대로 확인시켰답니다.

*대마도 : 일본 쓰시마섬을 우리 한자음으로 읽은 이름

생생 역사 인물 이야기 9
곽재우, 임진왜란에 첫 의병을 일으키다

왜군을 물리친 홍의 장군, 곽재우

붉은 옷에 백마를 타고 앞장서 싸운 곽재우는 임진왜란 때 최초로 의병을 일으켰어요. 의병은 '의로운 군대'라는 뜻이에요. 그는 자신의 재산을 바쳐 무기를 사고 용감하게 군대를 이끌었지요. 낙동강을 중심으로 기강 전투, 진주성 싸움, 정암진 전투에서 큰 활약을 했어요. 특히 정암진 전투는 의병이 육지에서 거둔 첫 승리였고, 왜군은 홍의 장군이 온다는 말만 들어도 무서워했답니다.

기발하고 재치 있는 작전으로 가는 곳마다 승리

곽재우는 일본군이 전혀 생각하지 못한 작전을 펼쳐 전투를 승리로 이끌었어요. 어느 날 곽재우는 부하들에게 벌통을 모아 오게 해서 큰 상자에 넣어 두었어요. 일본군은 이것을 식량 상자로 여겨 가져갔다가 온통 벌에 쏘이게 되었지요. 며칠 뒤에는 화약을 담은 상자를 벌통을 담은 것과 같은 상자에 두었어요. 벌통에 된통 당한 일본군은 이것을 벌통이 든 상자라고 여겨 불을 지르다가 화약이 폭발하여 크게 피해를 입었지요. 이런 지혜로운 작전 덕분에 일본군은 곽재우 장군 이름만 들어도 벌벌 떨며 도망쳤답니다.

진주 대첩에서도 활약한 곽재우

1592년 임진왜란 초기에는 왜적에게 한양을 빼앗기고 선조 임금이 의주까지 피난 가는 큰 위기를 겪었어요. 하지만 바다에서 이순신 장군, 육지에서 의병들이 활약하며 반격했지요.
일본군에 크게 이긴 이순신의 한산도 대첩, 김시민의 진주 대첩, 권율의 행주 대첩을 '임진왜란 3대첩'이라고 해요.
곽재우가 이끄는 의병 부대는 진주 대첩 때 뒷산에 올라가 일제히 뿔피리를 불고 여기저기서 횃불을 들어 일본군을 혼란스럽게 만들면서 승리에 많은 도움을 주었답니다.

한국사 Quiz

곽재우 장군의 활약상에 맞는 내용을 **보기** 에서 골라 빈칸을 채워 보세요.

보기   백마, 뿔피리, 벌통, 붉은색, 흰색, 약통

곽재우 장군은 (　　　) 옷에 (　　　　　)를 타고 다니며, (　　　　)를 불고 횃불을 올려 적을 혼란시켜 전투마다 승리를 거두었다.

생생 역사 인물 이야기 10
안용복, 울릉도와 독도를 지켜 내다

울릉도와 독도를 지킨 안용복

조선 숙종 때 안용복은 울릉도에 들어와 고기를 잡는 일본 어부들을 꾸짖다가 박어둔과 함께 일본으로 끌려갔어요. 일본어를 잘했던 그는 일본 정부로부터 '울릉도는 일본 땅이 아니다'라는 문서를 받아냈지요. 그러다 대마도에서 문서를 멋대로 고치자, 다시 일본으로 건너가 울릉도와 독도가 조선 땅임을 확인받았어요. 비록 조선 정부의 허락 없이 다녀왔다는 이유로 곤장을 맞고 유배까지 가야 했지만, 그의 용기로 울릉도와 독도를 지킬 수 있었답니다.

조선 땅을 지킨 작은 영웅

기록에 따르면, 안용복은 키가 작고 얼굴에 검버섯이 있으며, 동래에 살면서 배의 노를 젓는 노꾼이었다고 해요. 안용복은 일본에 두 번째 갈 때는 조선 8도 지도를 챙기고, 군사 일을 맡아보는 관리처럼 옷과 모자를 쓰고 배에는 깃발까지 달아 울릉도 관리처럼 보이게 했어요. 안용복은 일본 막부에 대마도 관리의 잘못을 따지며 울릉도와 독도가 조선 땅이라고 강하게 말했어요. 그 결과 일본은 1698년, 울릉도와 독도를 조선 땅으로 공식 인정하고 일본 어부들이 울릉도와 독도에 드나드는 것을 막겠다고 약속했답니다.

백두산정계비로 불거진 국경선 다툼

안용복이 일본을 다녀오고 16년이 지난 1712년, 청나라와 조선은 각각 목극등과 박권을 보내 국경선을 결정하기로 했어요. 10일 동안 진행된 조사 끝에 백두산 부근의 강줄기가 갈라지기 시작하는 곳에 경계를 정하는 '백두산정계비'를 세웠지요. 비석에는 동쪽은 토문강, 서쪽은 압록강을 경계를 삼는다는 내용을 새겼어요. 19세기에 이르면 토문강이 어느 강이냐를 놓고 청나라와 조선 사이에 다시 국경 문제가 일어나게 되지요.
백두산정계비는 일제 강점기 때 일본이 없애버렸다고 해요.

〈백두산정계비 탁본〉

한국사 Quiz
안용복을 설명한 내용 중 맞는 내용에 ○ 하세요.

❶ 안용복은 두 번이나 일본에 간 (관리, 뱃사람)이다.

❷ 안용복이 지켜 낸 조선 땅은 (울릉도, 제주도)이다.

❸ 안용복이 관리인 것처럼 꾸민 것은 (1차, 2차) 방문 때이다.

❹ 안용복이 일본에 가서 울릉도와 독도를 지켜 낼 때 조선 왕은 (숙종, 순종)이다.

정약용, 조선의 백성을 위한 이끌며 학문을 펼치다

조선 후기에는 현실을 바탕으로 문제를 해결하려는 *실학이 발달했어요. 정약용은 실학을 크게 발전시킨 학자로, 규장각에서 공부하며 정조 임금과 함께 나라를 위한 좋은 제도들을 연구했어요. 나중에는 다산 초당에서 지내며 백성을 위해 책을 쓰고 거중기도 만들었지요. 농사와 법에 대한 책도 많이 남겨 백성의 삶을 더 좋아지게 하려고 애썼답니다.

*실학 : 백성들의 생활에 도움이 되는 것을 연구한 조선 시대의 학문

찾아보세요

곤룡포를 입은 정조
규장각에서 정조가 정약용이 주장하는 개혁 내용을 흐뭇하게 듣고 있어요.

책을 쓰는 정약용
유배 생활 동안 정약용이 돋보기를 쓴 채 책을 썼어요.

서가의 붓통
정약용이 학문을 연구한 규장각 서가에는 붓을 꽂은 붓통도 있어요.

먹을 가는 제자 황상
정약용이 가장 사랑하는 제자 황상이 먹을 갈고 있어요.

열심히 쓰고 있는 유득공
고구려를 계승한 발해 역사책, 『발해고』를 쓴 유득공이 대화를 듣고 열심히 적고 있어요.

차를 준비하는 제자 이강회
이강회가 정약용에게 올릴 차를 정성스럽게 따르고 있어요.

정조에게 주장을 펼치는 정약용
정약용이 정조 앞에서 개혁 방안을 말하고 있어요.

방바닥에 쌓아 둔 목민심서
『목민심서』에는 고을을 다스리는 관리인 목민관이 지켜야 할 내용이 적혀 있어요. 총 48권이나 된답니다.

책을 찾는 박제가
청나라를 다녀온 적 있는 박제가가 자신이 지은 『북학의』를 보고 있어요.

서가의 난초 화분
다산 초당 서가에는 은은한 향이 나는 난초 화분도 두었어요.

민영환, 외교권을 빼앗는 을사조약에 끝까지 맞서다

민영환은 고종과 명성 황후가 매우 믿고 아끼던 신하였어요. 미국에 *보빙사로 파견되어 에디슨의 전기 회사를 보고 크게 놀라며 나라를 새롭게 바꿔야겠다고 다짐했지요. 하지만 일제가 을사조약으로 나라의 외교권을 빼앗으려 하자, 덕수궁 앞에서 많은 사대부와 함께 조약에 반대하는 상소를 올렸어요. 조약이 끝내 강제로 체결되자, 스스로 목숨을 끊었어요.

*보빙사 : 외국 사신의 방문에 답해 파견하는 사절단

찾아보세요

두루마리 상소문
을사조약이 강제로 체결되었다는 소식을 듣고 대안문 앞에서 민영환이 대표로 상소문을 읽고 있어요.

안내인 로웰
하버드 대학교 출신의 미국인 로웰이 안내를 맡아 에디슨 전기 회사에서 친절하게 설명해 주고 있어요.

대한 제국 가장 높은 신하 한규설
중명전에서 을사조약이 강제 체결되자, 한규설이 분노해 주먹을 불끈 쥐고 있어요.

에디슨이 발명한 전구
사절단이 방문한 에디슨 전기 회사에는 에디슨이 발명한 전구가 전시되어 있어요.

대한 제국 경제를 책임진 신하 민영기
한규설과 함께 회의에 참석한 민영기도 을사조약 체결에 반대하고 있어요.

눈물을 닦는 유생
한 유생이 을사조약 체결 소식을 듣고 눈물을 닦으며 엎드려 있어요.

전직 관리 관복의 학
전직 관리는 대안문 앞에 학 두 마리가 수놓아져 있는 관복을 입고 왔어요.

사절단 대표 민영환
조선의 대표로 사절단을 이끈 민영환이 제일 앞에서 전기 회사 시설을 둘러보고 있어요.

창을 들고 있는 포졸
포졸이 창을 들고 상소를 올린 사람들을 지켜보고 있어요.

사절단 부대표 홍영식
사절단 부대표 홍영식이 놀란 모습으로 시설을 살펴보고 있어요.

생생 역사 인물 이야기 11
정약용, 조선의 백성을 위한 새로운 학문을 펼치다

백성을 생각한 조선의 학자, 정약용

조선 후기에는 임진왜란, 병자호란 같은 전쟁과 어려운 경제 사정으로 백성들의 생활이 힘들었어요. 정약용은 이런 문제를 해결하기 위해 실학을 연구했지요. 그는 농사를 함께 짓고 곡식을 나누는 '여전제'를 제안했고, 관리가 백성을 바르게 다스리는 방법을 담은 『목민심서』를 썼어요. 또 정치 제도를 고치고, 형벌도 공정하게 하자고 주장했지요. 정약용은 백성이 잘사는 나라를 만들기 위해 힘썼답니다.

유배지에서 보낸 선물, 아버지 정약용의 마음

정조를 이어 임금이 된 순조 때 정약용은 나라에서 금하는 천주교를 믿었다는 이유로 전라도 강진으로 18년 동안 유배를 가야 했어요. 강진 다산 초당에서 지낼 때 아들이 찾아와 딸의 혼인 소식을 전하자 정약용은 무척 기뻤지만, 유배 중이라 선물을 준비할 수 없었지요. 정약용은 아내가 보내 준 빛바랜 치마 조각에 아버지의 가르침을 담아 '하피첩'을 만들어 아들에게 주었고, 남은 천에는 매화와 새 그림을 그려 딸에게 혼인 선물로 보냈답니다.

〈전남 강진의 다산초당〉

백성의 아픔을 시로 남긴 정약용

정약용은 정조 때 암행어사로 지방의 사정을 살피다가 백성이 관리에게 괴롭힘을 당하는 모습을 보고 안타까워하며 시로 남겼어요. 이 시에는 16세~60세 남자에게만 세금을 걷게 한 법을 무시하고 관리들이 갓난아기부터 죽은 사람에게까지 억지로 세금을 매기는 현실이 담겨 있었어요. 이런 부당한 일은 정조가 세상을 떠난 뒤 어린 순조가 왕이 되면서 더 심해졌지요. 권력을 쥔 안동 김씨 같은 큰 가문들은 돈을 받고 벼슬을 팔았고, 돈을 주고 벼슬을 산 관리들은 그 돈을 되찾으려 백성을 더 심하게 괴롭혔던 것이에요.

한국사 Quiz
정약용에 대해 맞는 내용끼리 연결해 보세요.

1. 농사를 함께 짓자는 토지 제도
2. 지방관에 대한 책
3. 정약용을 신임한 왕
4. 정약용이 긴 유배 생활을 할 때 왕

A. 목민심서 B. 여전제 C. 순조 D. 정조

정답: 1-B, 2-A, 3-D, 4-C

생생 역사 인물 이야기 12
민영환, 외교권을 빼앗는 을사조약에 끝까지 맞서다

조선을 대표해 세계를 누빈 민영환

민영환은 고종의 외사촌 동생이자 명성 황후의 친척으로, 고종의 명을 받아 미국과 서양 여러 나라를 방문했어요. 6개월간 유럽을 여행하며 세계를 처음으로 돌아본 조선 사람이기도 하지요. 민영환은 조선으로 돌아와 여러 중요한 관직을 맡았으며, 서양 학문을 가르치는 학교도 세웠어요. 1896년 러시아 황제 대관식과 1897년 영국 빅토리아 여왕 즉위 60주년 행사에도 대표로 참석했답니다.

을사조약에 반대한 민영환

〈민영환〉

1905년, 일본은 우리나라의 외교권을 빼앗기 위해 을사조약을 강제로 맺게 했어요. 당시 고종 황제를 가까이에서 모시던 민영환은 을사조약 소식을 듣고 매우 분노하며, 많은 사람에게 을사조약의 부당함을 알리려 했어요. 그는 자신의 뜻을 보여주기 위해 목숨을 끊는 결심을 해요. 민영환은 유서를 남겨 일제의 침략을 비판하고, 세계에 우리나라의 슬픔을 알렸어요. 민영환의 행동은 나라를 지키려는 강한 의지를 보여 준 역사적인 사건이었지요.

기적의 혈죽

민영환이 세상을 떠난 다음 해, 놀라운 일이 일어났어요. 죽을 때 입었던 피 묻은 옷을 둔 방에서 대나무가 솟아난 거예요. 사람들은 이 대나무를 피 혈(血), 대나무 죽(竹)을 써서 '혈죽(血竹)'이라고 불렀어요. 너무 놀라운 일이라 일본 사진사가 사진을 찍었고, 이 내용이 〈대한매일신보〉에 보도되었답니다. 게다가 대나무 잎의 개수가 민영환이 죽을 때 나이와 같은 45장이었다고 해요. 부인은 일본이 대나무를 없앨까 몰래 숨겼고, 광복이 된 뒤에 후손들이 고려대학교 박물관에 기증했답니다.

한국사 Quiz

민영환에 대해 맞으면 ○표, 틀리면 ✕표 하세요.

1. 민영환은 고종과 명성 황후의 친척이다. ( )
2. 민영환은 나라가 망하자, 이에 항의하여 목숨을 끊었다. ( )
3. 민영환은 을사조약에 반대하는 상소 운동의 대표였다. ( )
4. 민영환과 '혈죽'이라는 대나무는 깊은 관련이 있다. ( )

안중근, 나라를 빼앗은 원수를 향해 총탄을 날리다

안중근은 일제에 나라를 빼앗기지 않으려고 용감하게 싸운 독립운동가예요. 1909년에 우리나라뿐만 아니라 중국 만주 지역까지 차지하려고 한 일본 정치가 이토 히로부미를 처단하기로 한 뒤, 동지 11명과 함께 손가락 마디를 자르고 피로 이름을 써서 결심을 다졌지요. 그해 10월에 중국 하얼빈역에서 이토 히로부미에게 방아쇠를 당겼고, 이 소식은 전 세계로 전해졌어요.

홍범도, 독립군의 빛나는 첫 승리를 이끌다

홍범도는 대한제국 말기, 나라를 지키기 위해 싸운 독립운동가예요. 함경도에서 의병을 이끌고 일본군과 맞서 싸우며 이름을 알렸어요. 일제에 나라를 빼앗긴 뒤에는 독립군 부대를 이끌고 만주로 건너가 더 큰 전투를 준비했지요. 1920년, 봉오동 전투와 청산리 전투에서 일본군에 맞서 용감하게 싸워 큰 승리를 거두었답니다.

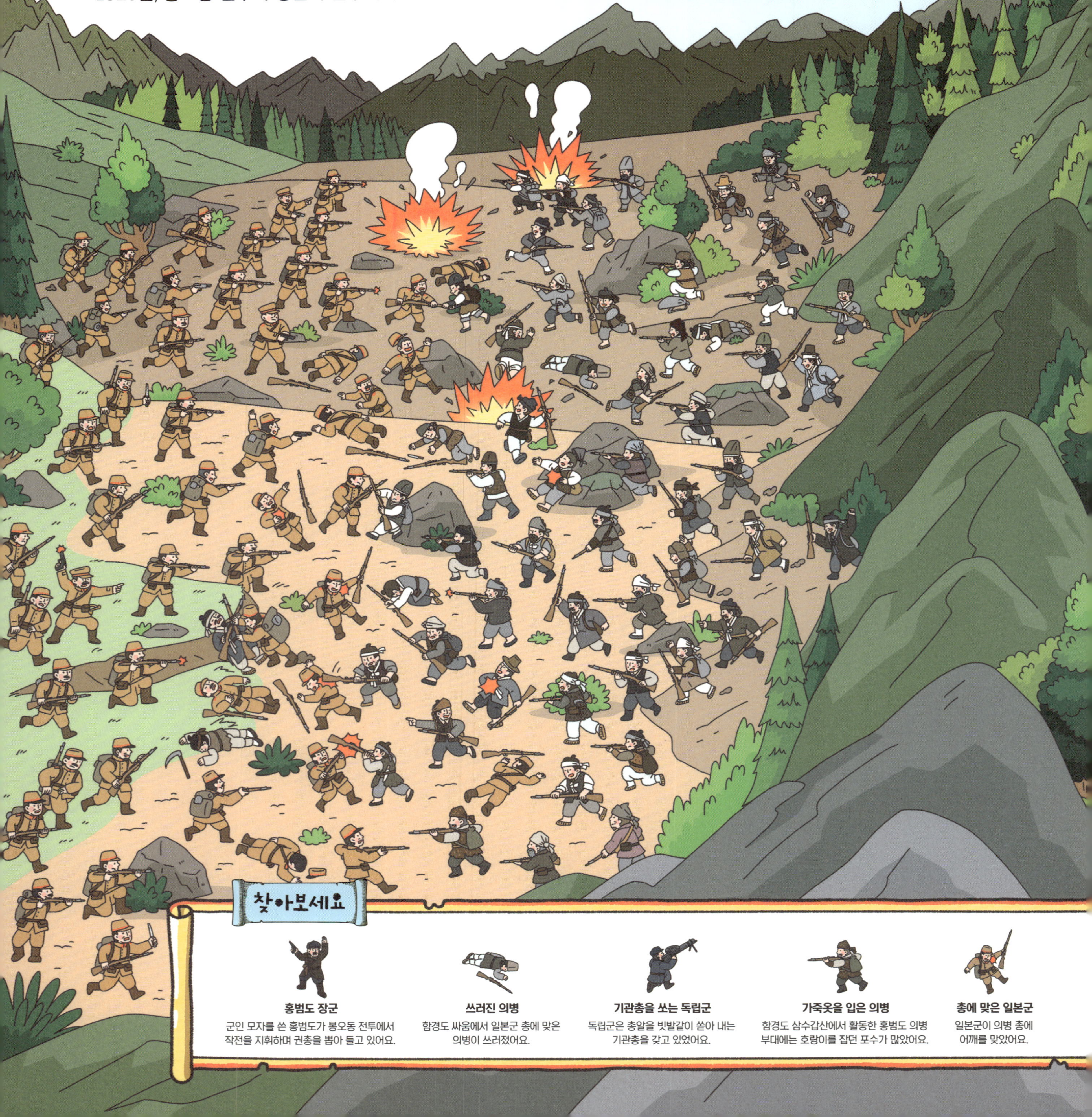

찾아보세요

홍범도 장군
군인 모자를 쓴 홍범도가 봉오동 전투에서 작전을 지휘하며 권총을 뽑아 들고 있어요.

쓰러진 의병
함경도 싸움에서 일본군 총에 맞은 의병이 쓰러졌어요.

기관총을 쏘는 독립군
독립군은 총알을 빗발같이 쏟아 내는 기관총을 갖고 있었어요.

가죽옷을 입은 의병
함경도 삼수갑산에서 활동한 홍범도 의병 부대에는 호랑이를 잡던 포수가 많았어요.

총에 맞은 일본군
일본군이 의병 총에 어깨를 맞았어요.

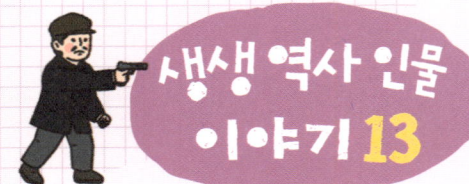

생생 역사 인물 이야기 13
안중근, 나라를 빼앗은 원수를 향해 총탄을 날리다

정의를 향해 일어선 영웅

1909년, 안중근 *의사는 조선을 빼앗은 이토 히로부미를 중국 하얼빈역에서 처단했어요. 그는 도망치지 않고 "대한 독립 만세"를 외치며 자신이 한국인임을 당당히 밝혔지요. 안중근은 중국 뤼순 감옥에 갇혀 재판을 받으면서도 조금도 기죽지 않았으며, 한국 침략의 원수이며 동양의 평화를 파괴하는 이토 히로부미를 죽인 것이니 국제법에 따라 군인이 한 일로 판결을 내리라고 주장했답니다.

*의사 : 나라를 위해 헌신한 독립운동가, 정의로운 사람

나라의 *자주권을 지키기 위해 힘쓴 안중근

1905년에 일제가 강제로 을사조약을 맺게 하고 대한 제국의 외교권을 빼앗자, 안중근은 민족의 힘을 기르기 위해 교육 활동에 나섰어요. 그는 삼흥 학교와 돈의 학교를 세우고, 나라 사랑과 우리말, 역사 등을 가르쳤지요. 1907년에 일제가 대한 제국 군대를 해산시키자, 안중근은 무장 항일 투쟁을 결심하고 의병을 조직했답니다. 그는 함경도에서 '대한 의군 참모 중장'으로 활동하며 일본군과 맞서 싸웠어요.

*자주권 : 한 나라가 국내 문제나 대외 문제를 스스로 자유롭게 결정할 수 있는 권리

<안중근 의사가 남긴 글>

많은 사람에게 감동을 준 글과 글씨

글씨를 잘 썼던 안중근은 판결을 기다리며 감옥에서 글씨를 썼는데 너무나 필체가 웅장하고 멋있어서 감옥을 지키는 일본 사람들이 너도나도 안중근의 글씨를 받아 갔어요. 글씨를 쓴 뒤에는 먹물을 묻혀 손바닥 도장을 찍었는데, 도장에는 네 번째 손가락의 마디 하나가 없지요. 이것은 안중근이 이토 히로부미를 제거하던 해인 1909년, 나라의 독립을 되찾겠다는 뜻을 가진 사람들과 함께 손가락 마디를 잘랐기 때문이에요.

한국사 Quiz

안중근과 관련한 답을 보기 에서 골라 써 보세요.

보기: 의병, 삼흥, 뤼순

❶ 안중근이 나라를 되찾기 위해 세운 교육 기관으로, 우리말과 역사를 가르친 학교 이름은 무엇인가요?

❷ 1907년, 일제가 대한 제국 군대를 강제로 해산하자 안중근이 참여하여 무장 독립운동을 벌인 군대는 무엇인가요?

❸ 안중근이 이토 히로부미를 처단한 후 수감되어 재판을 받은 감옥은 어디인가요?

정답 ❶ 삼흥, ❷ 의병, ❸ 뤼순

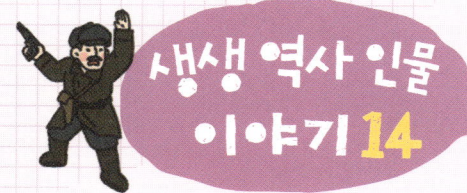

홍범도, 독립군의 빛나는 첫 승리를 이끌다

봉오동 전투의 승리

1920년 6월, 홍범도는 최진동 등과 함께 만주 봉오동에서 일본군을 물리치기 위한 전투를 준비했어요. 일본군을 깊은 골짜기로 끌어들인 뒤, 높은 산과 험한 지형을 이용해 공격했지요. 이 전투에서 일본군 157명이 목숨을 잃고, 우리 독립군은 단 4명만 희생되는 큰 승리를 거두었어요. 봉오동 전투는 독립군이 이끈 첫 번째 큰 승리로, 홍범도의 뛰어난 전략과 용기를 보여 준 역사적인 싸움이에요.

청산리 대첩, 독립군의 가장 큰 승리

1920년 10월, 독립군 역사상 가장 큰 승리를 거둔 청산리 대첩이 있었어요. 이 전투에서 김좌진이 이끄는 북로 군정서군과 홍범도가 이끄는 대한 독립군이 함께 일본군에 맞서 싸웠지요. 일본군은 봉오동 전투에서 당한 패배를 되갚기 위해 25,000여 명을 보내 공격했어요. 독립군은 약 2,000명 정도였지만, 잠도 못 자고 밥도 제대로 먹지 못하면서도 깊은 골짜기를 넘나들며 용감하게 싸웠답니다. 이 치열한 6일간의 전투에서 일본군 약 1,200명이 목숨을 잃고, 독립군의 피해는 100명에서 350명 정도였어요. 청산리 대첩은 우리 독립군의 뛰어난 전략과 협력으로 거둔 가장 위대한 승리로, 독립운동 역사에서 아주 중요한 전투예요.

홍범도를 기억하는 사람들

홍범도가 함경도에서 활약할 때 사람들은 '나르는 홍범도가'라는 노래까지 만들어 불렀어요. "홍 대장 가는 길엔 일월이 명랑한데 왜적 군대 가는 길엔 비가 내린다"라는 가사에서처럼, 홍범도는 많은 사람에게 희망과 용기의 상징이었지요. 그러다 1937년, 소련의 강제 이주 정책으로 홍범도는 카자흐스탄으로 보내졌고, 그곳에서 어렵게 살다가 극장 경비원으로 생을 마쳤어요. 장군의 묘소는 2021년에 대한민국으로 옮겨졌지만, 지금도 카자흐스탄에는 '홍범도 거리'가 남아 있답니다.

한국사 Quiz

홍범도 장군에 대해 맞는 내용끼리 연결해 보세요.

❶ 독립군 최초 승리　❷ 독립군 최대 승리　❸ 홍범도 거리

Ⓐ 봉오동 전투　Ⓑ 카자흐스탄　Ⓒ 청산리 대첩

정답: ❶-A, ❷-C, ❸-B

김구, 대한민국 임시 정부를 이끌며 나라의 꿈을 지키다

김구는 대한민국 임시 정부를 이끌며, 우리나라를 *식민 통치한 일제에 끝까지 저항한 독립운동가예요. 1919년 임시 정부가 세워졌을 때 김구는 경무국장으로 중요한 역할을 했어요. 새해가 되자, 임시 정부 사람들과 새해 축하 기념식을 하며 독립을 위해 힘을 모았답니다. 이후 김구는 독립군을 모아 광복군을 만들었는데, 광복군은 나라를 되찾기 위해 애썼답니다.

*식민 통치 : 다른 나라가 힘으로 우리나라를 차지해서, 그 나라 마음대로 다스리는 것

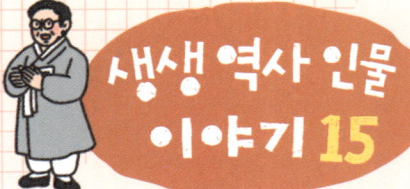

생생 역사 인물 이야기 15
김구, 대한민국 임시 정부를 이끌며 나라의 꿈을 지키다

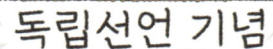

독립과 평화 통일을 위해 힘쓴 김구

김구는 황해도에서 태어나 동학에 참여했고, 의병 활동과 학교 설립을 통해 민족 교육에도 노력했어요. 3·1 운동 이후 중국 상하이로 망명해 대한민국 임시 정부에서 활동했어요. 임시 정부 주석이 된 뒤 1940년에는 한국광복군을 조직해 일본군과 싸울 계획도 세웠지요. 1945년 광복이 된 뒤에는 남북 통일 정부를 만들기 위해 북한을 방문했지만, 1949년 6월 26일에 암살당했어요.

신민회에서 임시 정부까지

김구는 1907년에 비밀 애국 단체인 신민회에 참여해 교육과 계몽 활동을 펼치며 독립운동의 기틀을 다졌어요. 그러던 중 1919년에 3·1 운동이 일어났고, 김구는 이를 계기로 중국 상하이로 가서 대한민국 임시 정부에 참여하게 되었지요. 김구는 주석이 되어 임시 정부를 이끌며 세계에 한국의 독립 의지를 알렸답니다. 1940년에는 한국광복군을 만들어 일제와 직접 싸워 독립을 이루기 위한 훈련과 작전을 준비했어요. 이처럼 김구는 신민회 활동부터 임시 정부 주석, 광복군 창설까지 나라를 되찾기 위한 모든 길에 앞장섰지요.

한인 애국단, 폭탄으로 맞선 독립 의지

김원봉이 이끄는 의열단은 밀양, 부산, 종로 경찰서 등 일본의 주요 시설을 폭탄으로 공격하며 큰 충격을 안겼어요. 이러한 의열단의 활동을 지켜본 김구는 1931년에 의열단과 비슷한 성격의 한인 애국단을 조직했고, 이봉창과 윤봉길 등이 단원으로 가입했지요. 1932년 1월 8일, 이봉창 의사는 일본 국왕을 향해 폭탄을 던졌지만 아쉽게 실패했어요. 같은 해 4월 29일에는 윤봉길 의사가 중국 상하이 홍커우 공원에서 열린 일본 행사장에 폭탄을 던져 일본군 사령관 등 높은 사람들에게 큰 피해를 입혔지요. 이 두 사건은 세계에 우리나라의 독립 의지를 알리는 계기가 되었답니다.

한국사 Quiz
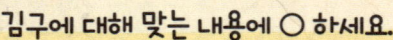
김구에 대해 맞는 내용에 ○ 하세요.

1. 김구가 가입하여 활발한 활동을 전개한 비밀 애국 단체는 (신민회, 신간회)이다.
2. 한인 애국단 소속 의사들 가운데 거사에 성공한 사람은 (이봉창, 윤봉길)이다.
3. 대한민국 임시 정부의 군대 이름은 (한국광복군, 대한 독립군)이다.

4-5쪽 근초고왕, 백제를 가장 강한 나라로 발전시키다

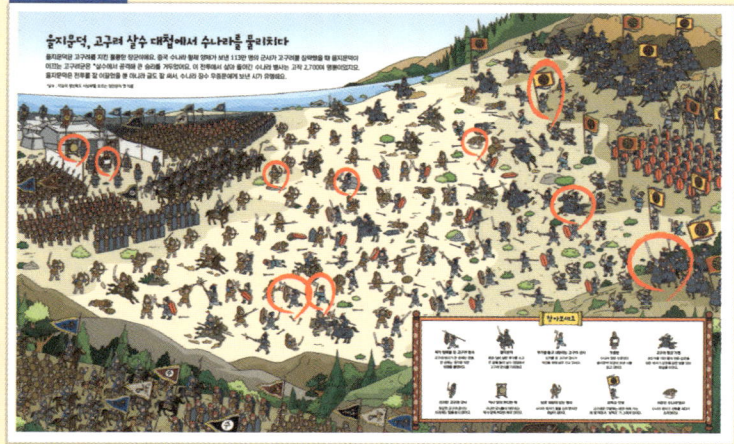
6-7쪽 을지문덕, 고구려 살수 대첩에서 수나라를 물리치다

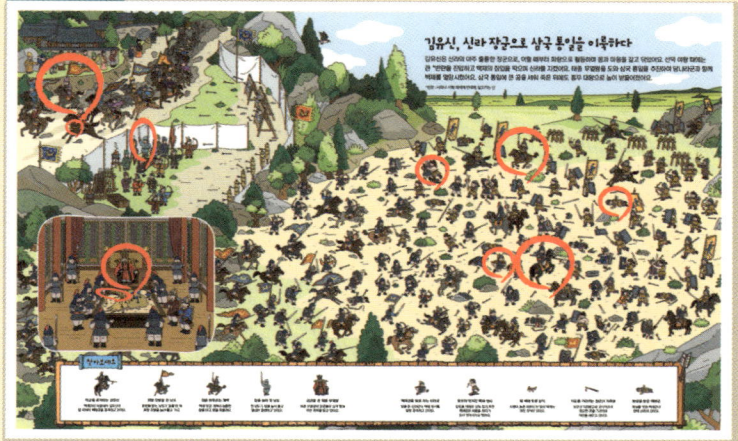
10-11쪽 김유신, 신라 장군으로 삼국 통일을 이룩하다

12-13쪽 원효, 백성들 속으로 들어가 불교를 널리 알리다

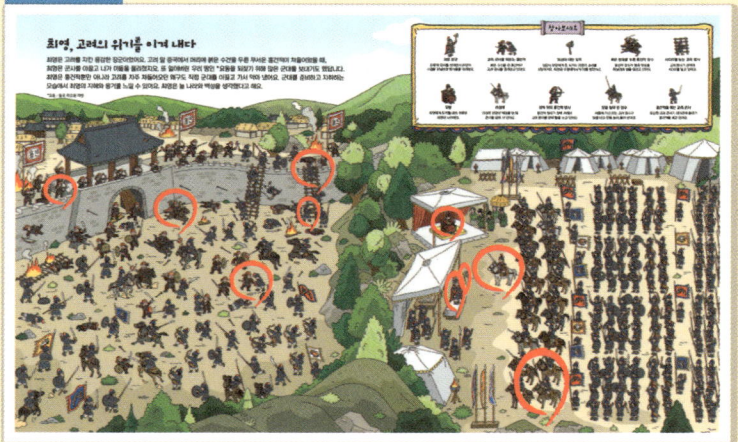
16-17쪽 최영, 고려의 위기를 이겨 내다

18-19쪽 최무선, 고려 말 화약을 발명해 왜구를 몰아내다

22-23쪽 이황, 조선을 빛낸 큰 학문을 세우다

24-25쪽 신사임당, 예술과 생활 속 가르침을 남기다

28-29쪽 곽재우, 임진왜란에 첫 의병을 일으키다

30-31쪽 안용복, 울릉도와 독도를 지켜 내다

34-35쪽 정약용, 조선의 백성을 위한 새로운 학문을 펼치다

36-37쪽 민영환, 외교권을 빼앗는 을사조약에 끝까지 맞서다
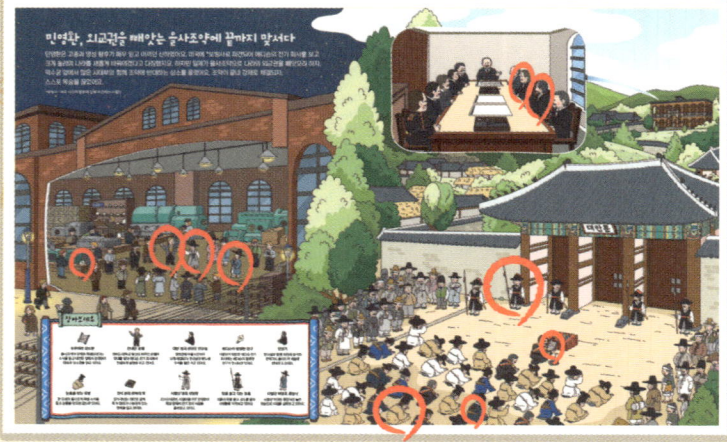

40-41쪽 안중근, 나라를 빼앗은 원수를 향해 총탄을 날리다
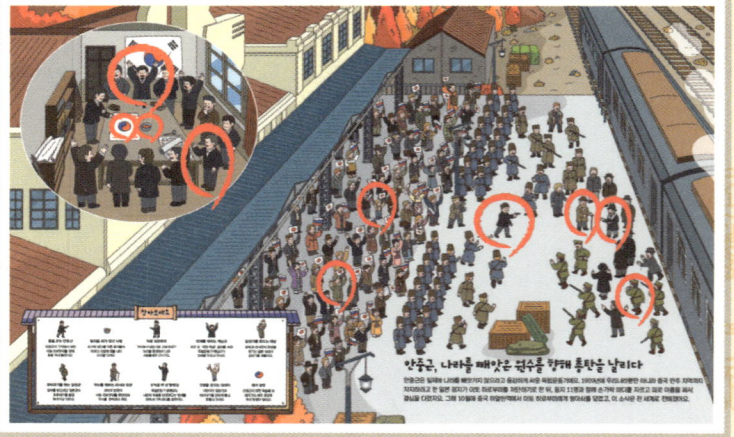

42-43쪽 홍범도, 독립군의 빛나는 첫 승리를 이끌다
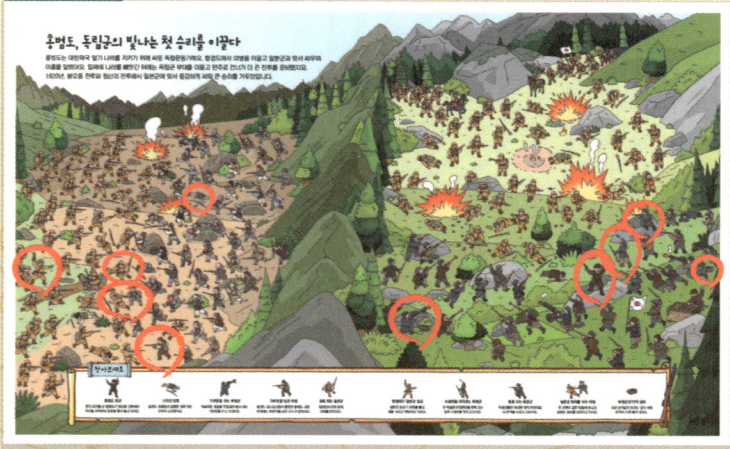

46-47쪽 김구, 대한민국 임시 정부를 이끌며 나라의 꿈을 지키다